le stéthoscope

le docteur

le pantalon

l'ordonnance

le thermomètre

le pansement

la balance

l'otoscope

la table

les jouets

Un personnage de Thierry Courtin
Couleurs : Françoise Ficheux

Loi n°49-956 du 16 juillet 1949
sur les publications destinées à la jeunesse,
modifiée par la loi n°2011-525 du 17 mai 2011.
© 2012 Éditions NATHAN, SEJER, 25 avenue Pierre de Coubertin, 75013 Paris
ISBN : 978-2-09-253730-5
Achevé d'imprimer en janvier 2017
par Lego, Vicence, Italie
N° d'éditeur : 10231614 - Dépôt légal : février 2012

T'choupi
chez le docteur

Illustrations
de Thierry Courtin

Nathan

et sa maman vont chez le .

T'choupi   docteur

– Dis maman, ça fait mal, le vaccin ?

– Mais non, tu ne sentiras rien :

c'est une toute petite piqûre !

T'choupi s'installe avec les autres

petits : il y a des et des
livres   jouets

pour patienter.

Tout à coup, le docteur ouvre la .
porte

– C'est à toi, T'choupi !

Le docteur s'assoit à son .

bureau

- Tu me donnes ton  ?

carnet de santé

Avant de faire ton vaccin, je dois

voir si tout va bien !

– Maintenant, tu peux retirer

ton  et ton

tee-shirt   pantalon

pour que je t'examine !

– Allez, monte sur la
table

et respire bien fort, dit le docteur

en passant le .
stéthoscope

T'choupi frissonne.

– Hou... C'est froid !

– Ouvre grand la bouche...

Avec l' abaisse-langue , le docteur regarde

au fond de la gorge. Ensuite, il examine

les oreilles de T'choupi avec un otoscope .

– Tout va bien, pas d'otite !

– Allez, je vais te faire le vaccin

maintenant : je nettoie d'abord avec un peu

de désinfectant sur un bout de 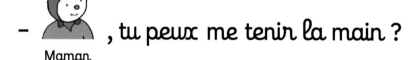 !

coton

– 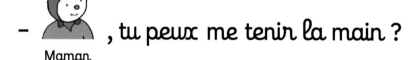 , tu peux me tenir la main ?

Maman

demande T'choupi.

Le docteur fait une piqûre.

– Souffle, T'choupi. Et voilà, c'est fini !

Puis il met une et un .
compresse   pansement

Avant de partir, T'choupi monte

sur la  .

balance

– Oh, tu pèses 16 kilos. Maintenant,

tiens-toi droit devant la 🮲 : tu as pris

toise

2 centimètres depuis la dernière fois...

Comme tu es grand !

Le docteur fait une .

ordonnance

– Je te prescris du sirop au cas

où tu aurais de la fièvre.

– Moi, quand je suis malade, maman

prend ma température avec le !

thermomètre

Le docteur se penche vers T'choupi :

– Tu as été bien sage, tu as le droit

de choisir un petit cadeau dans la !
boîte

– Chouette, un ! Maman,
porte-clés

on retourne bientôt chez le docteur ?

Retrouve sur ce dessin tout ce que T'choupi a vu...

le docteur

une porte

un bureau

un carnet de santé

un tee-shirt

un pantalon

une table

un stéthoscope

un abaisse-langue

un otoscope

du coton

une compresse

un pansement

une balance

une toise

une ordonnance

un thermomètre

Et dans la même collection ...